Trotzen, motzen, glücklich sein

Geschichten von kleinen und großen Gefühlen

Katharina Mauder (Hg.)

Trotzen, motzen, glücklich sein

Geschichten von kleinen und großen Gefühlen

Mit Illustrationen von Bjarke

Kaufmann Verlag

Bibliografische Information der Deutschen Bibliothek

Die Deutsche Bibliothek verzeichnet diese Publikation in der Deutschen Nationalbibliografie; detaillierte bibliografische Daten sind im Internet über http://dnb.ddb.de abrufbar.

1. Auflage 2014
© 2014 Verlag Ernst Kaufmann, Lahr
Druck und Bindung: DZS Grafik, Ljubljana
ISBN 978-3-7806-2944-9

Inhalt

Dann hol ich meinen großen Bruder
Dagmar Geisler. 9

Ständig droht der Spielplatz-Fiesling Fabio mit seinem großen Bruder
und nimmt Tommy den Bagger ab. Leider hat Tommy selbst nur eine
kleine Schwester. Die bringt ihn allerdings auf eine Idee …
Von Mut und Selbstbewusstsein

Anna und die Wut
Christine Nöstlinger 16

Die kleine Anna kann sich gegen ihre riesengroße Wut einfach nicht
wehren. Ständig muss sie kreischen, fluchen, heulen und alle machen
sich schon über den kleinen Giftzwerg lustig. Zum Glück weiß
Annas Opa einen Rat.
Von Wut und Ausgeglichenheit

Die Geschichte vom Geschwister-Fngel
Karin Jäckel 23

Eigentlich hatte sich Freddy richtig auf seine kleine Schwester gefreut.
Aber als das Baby endlich da ist, beachten seine Eltern Freddy über-
haupt nicht mehr. Das hält er bald nicht mehr aus.
Von Eifersucht und Zuneigung

Ich will Action!
Kristin Lückel 29

Timo ist laaaangweilig! Und niemand hat Zeit für ihn. Doch plötzlich
passiert etwas ganz Außergewöhnliches mit seinem Spielzeug …
Von Langeweile und Fantasie

Wir bleiben trotzdem Freunde
Marliese Arold 36

Svenja und Melanie sind beste Freundinnen! Leider kommt Melanie
jetzt in die Schule und Svenja ist auf einmal das Kindergarten-Baby.
Sucht sich Melanie jetzt neue Freunde?
Von Freundschaft und Zusammenhalt

Der Kummerstein
Linde von Keyserlingk 44

Mattes hat großen Kummer. Ständig lässt er den Kopf und die Schultern hängen. Eine einfühlsame Erzählung seines Großvaters hilft ihm,
besser mit seiner Trauer umzugehen.
Von Kummer und Zuversicht

Piet will auch mitspielen
Katja Simon 49

Piet hat sich wie verrückt auf diesen Tag mit seinem Bruder und
Cousin gefreut, und dann wollen ihn die großen Jungs einfach nicht
mitspielen lassen. Ganz schön fies!
Vom Nicht-Dazugehören und Sich-Behaupten

Inhalt

Der Laserfighter 6000
Katharina Mauder 56

Das beste Spielzeug der Welt – das muss Felix einfach haben! Wieso
nur kann seine Mutter das so gar nicht verstehen? Das ist doch fies,
gemein und überhaupt!
Vom Quengeln und Trotzen

Johnnie will bei Mama schlafen
Dagmar H. Mueller 62

Das Etagenbett in Johnnies Zimmer ist ein super Piratenschiff!
Aber geschlafen wird doch lieber in Mamas kuschelig großem Bett.
Oder schafft es Mama, in ihrem kleinen Piraten den Abenteuergeist
zu wecken?
Von Angst und Geborgenheit

Dann hol ich
meinen großen Bruder

„Gib das her, sonst hol ich meinen großen Bruder!" Das sagt Fabio immer, wenn er was von mir haben will. Zum Beispiel das Lego-Auto. Dabei ist das meins und nicht seins. Und bloß weil er ein Parkhaus gebaut hat, in dem jetzt ganz viele Autos parken sollen, denkt er, ich muss meins abgeben.

Er könnte ja auch einfach „Bitte" sagen, dann könnte ich mir das noch mal überlegen, aber so?

Wenn ich ihm das Auto nicht geben will, droht er wieder: „Dann hol ich meinen großen Bruder!" Meistens gebe ich ihm dann, was er will. Ich weiß ja nicht, wie groß Fabios großer Bruder ist. Der von Daniel ist riesig. Er ist fast erwachsen und er hat ganz dicke Muskeln, weil er immer schwere Gewichte stemmt. Aber Daniel sagt nie: „Dann hol ich meinen großen Bruder!" Vor dem hätte nämlich sogar Fabio Angst, da bin ich mir sicher.

Ich habe schon gar keine Lust mehr, mit Fabio zu spielen, aber er ist halt immer dabei, wenn Daniel und ich und ein paar andere auf den Spielplatz gehen.

Am besten, ich gehe gar nicht mehr mit auf den Spielplatz, denke ich manchmal. Und wenn doch, dann kriegt er einfach nichts von mir. Das nehme ich mir ganz fest vor. Er kriegt nur dann was, wenn er ganz lieb „Bitte, bitte" macht.

Aber dann gehen wir doch wieder zum Spielplatz und da will Fabio meinen Bagger haben, weil er sich bis nach China durchbuddeln will. Ich sage: „Nein! Das ist mein Bagger." Und trotzdem grapscht Fabio danach, und als ich nicht loslasse, knurrt er ganz gefährlich: „Gib her, sonst hole ich meinen großen Bruder!"

Ich lasse nicht gleich los, er muss es schon noch ein paarmal sagen. Aber „Bitte, bitte" macht er nicht, bloß eine Faust macht er und dazu schaut er mich ganz böse an. Er fletscht sogar die Zähne, wie der Wolf in dem Film, der eigentlich für größere Kinder ist und wegen dem ich nachts nicht einschlafen konnte.

Wieso hat Fabio eigentlich einen großen Bruder und ich nicht?
Einer wie er kriegt doch auch so alles, was er will.

Fabio buddelt ziemlich lange. Als es Abend wird, ist er zwar
noch weit entfernt von China, aber das Loch ist schon ganz
schön tief geworden. Sehr tief sogar.

„Kann ich jetzt endlich meinen Bagger wiederhaben?", frage
ich. So langsam geht mir das hier auf die Nerven und Hunger
habe ich auch. Bestimmt hat Fabio auch Hunger, sonst würde
er nicht so schnell nachgeben.

„Na, hast du schön gespielt?", fragt Mama, als ich ins Haus
komme.

„Geht so", sage ich.

„Dann wasch dir die Hände", sagt sie und Clara
ruft aus der Küche: „Da bist du ja endlich. Wir
warten schon seit Stunden mit dem Essen auf
dich." Das ist natürlich Quatsch. Um sieben
sollte ich zu Hause sein und jetzt ist es

höchstens fünf nach sieben. Aber so ist meine Schwester halt. Immer muss sie übertreiben.

Es gibt Spaghetti mit Pfifferlingen. Pfifferlinge sind meine Lieblingspilze und Spaghetti mit Pfifferlingen ist mein absolutes Lieblingsessen. Aber ich nehme mir nur einen ganz normalen Schöpfer voll Soße, so wie alle anderen auch. Trotzdem schreit Clara gleich wieder los: „Der Tommy klaut sich alle Pilze aus der Soße."

„Gar nicht wahr", rufe ich und Mama sagt: „Ihr sollt doch nicht streiten." Und Papa guckt streng über seine Brille. Ich seufze. Wirklich schade, dass ich keinen großen Bruder habe.

Am nächsten Tag muss ich ganz viel Hausaufgaben machen, und als ich endlich fertig bin, habe ich gar keine Lust, auf den Spielplatz zu gehen. Fabio will sowieso bloß wieder meinen Bagger haben, und wenn ich meinen Bagger nicht mitnehme, will er irgendwas anderes von mir. Wenn ich wenigstens einen großen Bruder hätte, aber so.

Clara muss keine Hausaufgaben machen, weil sie erst im Herbst in die Schule kommt. Deshalb ist sie schon längst mit ihrer Freundin im Garten. Die ganze Zeit habe ich die beiden da unten gickern gehört, während ich sauschwere Wörter schreiben musste. „Quark" zum Beispiel oder „Zirkusdirektor". Ich klappe mein Heft zu und gehe ans Fenster. Was machen die eigentlich? Clara hat eine Pappkrone auf dem Kopf, Isabell ist in eine rosa Gardine gewickelt. Wahrscheinlich spielen sie mal wieder Prinz und Prinzessin.

»Jetzt will ich mal die Prinzessin sein«, sagt Clara gerade und Isabell schüttelt den Kopf.

„Och komm, du hast es versprochen", mault Clara. Isabell zieht die Gardine noch fester um sich herum und macht einen Schritt rückwärts. Clara stampft mit dem Fuß auf. „Du hast es versprochen!"

„Aber du kannst nicht die Prinzessin sein", ruft Isabell. „Du hast ja gar keine langen Haare." Das ist ziemlich gemein, finde ich. Isabell bildet sich immer so viel ein auf ihre blonden langen Locken. Claras Haare sind ziemlich kurz und haben eine ganz normale braune Farbe.

„Ausgemacht ist ausgemacht", ruft Clara. An ihrer Stimme höre ich, dass sie kurz vorm Heulen ist. Sie greift nach der rosa Gardine, aber Isabell geht noch einen Schritt zurück.

„Los, gib das Kleid her", heult Clara. „Sonst hol ich meinen großen Bruder."

Da lässt Isabell tatsächlich los. Ich muss kichern. Die glaubt das tatsächlich, dabei hat Clara doch gar keinen großen Bruder. Isabell nimmt die Pappkrone und das Holzschwert. „Na gut", sagt sie. „Aber nur eine Viertelstunde, dann bin ich wieder dran."

Clara wickelt die rosa Gardine um ihren Bauch. „Pff", macht sie und guckt zu mir hoch. Sie grinst, als sie den Stoff in ihrem Hosenbund feststopft.

Und da fällt es mir auf einmal ein. Der große Bruder, das soll ich sein. Wir sind zwar fast gleich groß, Clara und ich. Aber ich bin älter als sie. Über ein Jahr. Wow, denke ich.

Jetzt hab ich es eilig. Ich schnappe meinen Bagger, sag Mama kurz Bescheid und renne zum Spielplatz. Diesmal will ich selber buddeln. Ich buddele zwar nicht bis nach China, aber einen Kanal will ich machen. Einen Kanal, auf dem Daniel sein Schiff fahren lassen kann. Wie der Blitz renne ich um die Ecken. Ich muss gar nicht groß rechts und links schauen. In unserer Siedlung fahren ja keine Autos.

Die anderen warten schon auf mich.
„Wo bleibst du denn?", ruft Fabio. „Ich brauche deinen Bagger."
„Den Bagger brauche ich heute selbst", sage ich. Fabio wird sofort wütend. Er grapscht danach, aber ich lasse nicht los.

„Gib her", sagt er und ballt die Fäuste. „Sonst hole ich meinen großen Bruder!"

„Mach doch", sage ich. „Das macht mir kein bisschen Angst."
Er antwortet nicht, aber er kommt ganz nah an mich heran. Seine Nasenspitze ist jetzt dicht vor meinem Gesicht und seine Augen funkeln gefährlich.

„Bei mir ist der große Bruder nämlich schon da!", füge ich hinzu und funkle böse zurück.

„Hä?", macht Fabio.

„Da staunst du, was? Der große Bruder, das bin ich selbst!", sage ich und fange ganz seelenruhig an zu baggern. Es gibt ja noch viel zu tun, wenn das ein Kanal werden soll.

Anna und die Wut

Es war einmal eine kleine Anna, die hatte ein großes Problem. Sie wurde unheimlich schnell und schrecklich oft wütend. Viel schneller und viel öfter als alle anderen Kinder. Und immer war ihre Wut gleich riesengroß!

Wenn die riesengroße Wut über Anna herfiel, färbten sich ihre Wangen knallrot, ihre seidigen Haare wurden zu Igelstacheln, die knisterten und Funken sprühten, und ihre hellgrauen Augen glitzerten dann rabenschwarz.

Die wütende Anna musste kreischen, fluchen und heulen, mit dem Fuß aufstampfen und mit den Fäusten trommeln. Sie musste beißen und spucken und treten. Manchmal musste sie sich auch auf den Boden werfen und um sich schlagen.

Anna konnte sich gegen die riesengroße Wut nicht wehren. Aber das glaubte ihr niemand. Die Mama nicht, der Papa nicht und die anderen Kinder schon gar nicht.

Die lachten Anna aus und sagten: „Mit der kann man nicht spielen!"

Das Schlimmste an Annas riesengroßer Wut war aber, dass jeder etwas davon abkriegte, der der wütenden Anna in die Nähe kam. Auch die, die ihr überhaupt nichts getan hatten.

Wenn Anna beim Schlittschuhlaufen stolperte und hinfiel, wurde sie wütend. Kam dann der Berti und wollte ihr wieder hochhelfen, schrie sie ihn an: „Lass mich bloß in Ruhe, du Depp!"

Wollte Anna ihrer Puppe Ännchen die Zöpfe flechten und schaffte das nicht, weil die Haare zu kurz waren, wurde sie wütend und warf die Puppe gegen die Wand.

Bat Anna die Mama um ein Bonbon, und die Mama gab ihr keines, wurde sie wütend und trat dem Papa auf die Zehen. Bloß weil die Zehen vom Papa gerade näher bei Anna waren als die Zehen der Mama.

Baute Anna aus den Bausteinen einen Turm und stürzte der ein, bevor er fertig war, wurde Anna wütend und warf die Bausteine zum Fenster hinaus. Und einer davon traf die Katze am Kopf.

Am wütendsten wurde Anna, wenn die anderen Kinder über sie lachten. Da konnte es dann sein, dass sie auf vier Buben losging. Doch vier große Buben sind viel stärker als eine kleine Anna! Zwei packten Annas Arme, zwei packten Annas Beine. So liefen sie mit der kreischenden und spuckenden Anna im Park herum und riefen: „Gleich platzt der Giftzwerg vor Wut!" Und alle anderen Kinder kicherten.

Und oft tat sich die wütende Anna selbst weh. Trat sie wütend gegen ein Tischbein, verstauchte sie sich die große

Zehe. Oder sie schlug wütend um sich und stieß sich dabei den Ellbogen am Türrahmen blau.

Einmal biss sie sich sogar vor lauter Wut so fest in den eigenen Daumen, dass Blut aus dem Daumen spritzte. Zwei Wochen lang musste Anna hinterher mit einem dicken Verband am Daumen herumlaufen.

„So kann das nicht weitergehen", sagte die Mama. „Anna, du musst lernen, deine Wut runterzuschlucken!"

Anna gab sich große Mühe. Sooft sie die Wut kommen spürte, schluckte sie drauflos! Um besser schlucken zu können, trank sie Wasser literweise. Doch davon bekam sie bloß einen Schlabber-Blubber-Bauch und Schluckauf.

Und die Wut wurde noch größer, weil sie sich nun auch über das lästige »Hick-hick« ärgern musste.

„So kann das nicht weitergehen", sagte der Papa. „Anna, wenn du die Wut nicht runterschlucken kannst, dann gibt es nur mehr eines: Du musst der Wut eben aus dem Weg gehen!"

Anna gab sich große Mühe. Weil sie der Wut aus dem Weg gehen wollte, ging sie den großen Buben aus dem Weg und den anderen Kindern auch, damit niemand über sie lachen konnte. Sie ging nicht mehr Schlittschuhlaufen. Sie spielte nicht mehr mit der Puppe Ännchen. Sie bat die Mama nicht mehr um ein Bonbon. Sie baute aus den Bausteinen keinen Turm mehr.

In den Park ging sie auch nicht mehr. Sie saß nur noch daheim in ihrem Zimmer, auf ihrem Korbstühlchen, hatte beide Hände auf den Armlehnen liegen und starrte vor sich hin.

„So kann das nicht weitergehen", sagten die Mama und der Papa.

„Doch!", sagte Anna. „Wenn ich hier sitzen bleibe, dann findet mich die Wut nicht!"

„Willst du nicht wenigstens ein bisschen stricken?", fragte die Mama.

„Nur nicht!", antwortete Anna. „Da fällt mir dann eine Masche von der Nadel und ich werde wütend!"

„Willst du nicht wenigstens aus dem Fenster schauen?", fragte der Papa.

„Nur nicht!", antwortete Anna. „Da könnte ich leicht etwas sehen, was mich wütend macht!"

So blieb Anna im Korbstühlchen sitzen, bis am Sonntag der Opa zu Besuch kam.

Der brachte für Anna eine Trommel und zwei Schlägel mit. Er sagte: „Anna, mit der Trommel kannst du die Wut wegjagen!" Zuerst glaubte Anna das gar nicht. Doch weil der Opa Anna noch nie angeschwindelt hatte, war sie dann doch bereit, die Sache zu probieren.

Aber dazu musste sie zuerst einmal eine ordentliche Wut kriegen. Anna holte die Bausteine, baute einen Turm und sagte zum Opa: „Wenn der nicht zwei Meter hoch wird, krieg ich einen Wutanfall!" Nicht einmal einen Meter hoch war der Turm, da stürzte er schon ein.

„Verdammter Mist!", brüllte Anna. Der Opa drückte ihr die Schlägel in die Hände und hielt ihr die Trommel vor den Bauch und Anna trommelte los!

Der Opa hatte nicht geschwindelt. Das Trommeln verscheuchte die Wut! Anna musste sogar lachen, als sie den kaputten Turm anschaute!

Den ganzen Sonntag tat Anna Sachen, von denen sie wusste: Da könnte mich leicht die riesengroße Wut überfallen! Sie nähte einen Knopf an. Als im Faden vier Knoten mit vier Schlingen waren und Anna ihre Haare schon igelsteif werden spürte, riss sie den Faden ab und trommelte. Gleich wurden aus den knisternden Stacheln wieder Seidenfransen und die Wut war weg!

Dann lief Anna ins Wohnzimmer und drehte den Fernseher an. Weil es gerade einen Krimi zu sehen gab und die Mama nie erlaubte, dass Anna einen Krimi anguckte. Die Mama kam und drehte den Fernseher ab. Annas Wangen wurden knallrot vor Wut! Diesmal musste sie ziemlich lange trommeln, doch es gelang wieder! Die Knallröte verschwand, ganz friedlich und sanft fühlte sich Anna, als sie die Trommel wegstellte.

Am Montag ging Anna mit der Trommel in den Park.

„Da kommt ja der kleine Giftzwerg", rief ein großer Bub, und die anderen Kinder lachten.

Annas Augen glitzerten rabenschwarz, wie wild schlug sie auf die Trommel und marschierte an dem großen Buben vorbei.

Da rissen alle Kinder vor Staunen die Mäuler auf und marschierten hinter Anna her.

Dreimal machte Anna im Park die Runde, dann ließ sie endlich die Trommelschlägel sinken. Alle Kinder klatschten Beifall und riefen: „Du kannst ja wunderschön die Trommel schlagen!" Das meinten sie wirklich ehrlich.

Seither hat Anna die Trommel immer, vom Morgen bis zum Abend, vor den Bauch gebunden. Die Schlägel baumeln von ihrem Gürtel. Und kein Kind sagt mehr: „Die Anna spinnt!"

Alle Kinder wollen mit ihr spielen. Dauernd bitten sie Anna: „Sei lieb, trommel uns ein bisschen was vor!"

Anna ist gern so lieb. Aber langsam weiß sie schon nicht mehr, woher sie so viel Wut kriegen soll!

Die Geschichte vom Geschwister-Engel

Vor zwei Wochen schon war die erste Kirsche rot und reif gewesen. Freddy hatte sie vom Balkon aus gesehen. „Jetzt kommt das Baby", hatte er durch das Treppenhaus gerufen.

„Wieso?", hatte die Mutter gefragt.

„Weil die Kirschen reif sind. Papa hat gesagt, dann kommt das Baby." Die Mutter hatte nur gelacht.

Und nun, nur zwei Tage später, war es plötzlich so weit. Die Mutter hatte im Krankenhaus ein Baby bekommen. Der Vater war vor Freude ganz aus dem Häuschen.

„Mach dich schön", rief er Freddy zu. „Du hast eine kleine Schwester. Wir wollen Mama und unser Baby sofort besuchen."

„Hast du denn auch ein Geschenk für Stefanie?", fragte Freddy und nannte stolz ihren Namen, den er für sie ausgesucht hatte.

Der Vater schmunzelte. „Sie ist gerade erst auf die Welt gekommen. Sie kann sich noch gar nicht über Geschenke freuen."

„Ich hab trotzdem was", sagte Freddy.

„Ich schenk ihr einen Schlumpf."

Es war sein eigener blauer Lieblings-schlumpf mit der Sonnenblumen-laterne. „Er soll unser Geschwister-Engel sein."

„Aber Engel haben doch Flügel", meinte der Vater.

„Dieser hat eine Laterne", erklärte Freddy.

„Gut", meinte der Vater.

Aber Freddy merkte, dass er gar nicht richtig zuhörte. „Wahrscheinlich denkt er an Stefanie", überlegte er still für sich. Und dabei spürte er, dass auch er sich auf sein Schwesterchen freute.

Wenig später waren sie im Krankenhaus. Die Mutter lag in einem Einzelzimmer. Sie freute sich und streckte ihnen glücklich die Arme entgegen.

Nur Stefanie fehlte.

„Wo ist sie denn?", fragte Freddy.

In diesem Moment ging die Tür auf und eine Krankenschwester brachte ein Baby herein. Winzig war es. Freddy starrte ungläubig hin. Und so rot und zerdrückt. Es machte nicht einmal die Augen auf.

„Gefällt sie dir?", wollte die Mutter wissen.

Da wusste Freddy nicht, was er sagen sollte. „Ist sie auch nicht vertauscht?", fragte er.

„Nein", lachte die Mutter. „Sie sieht dir sogar ähnlich."

Der Vater schob den Zeigefinger in Stefanies Faust. Ihre Finger klammerten sich sofort fest. Die Mutter und der Vater lächelten sich an. Etwas war anders mit ihnen. Etwas, das bewirkte, dass Freddy irgendwie nicht dazugehörte. Er rückte ans Fußende von Mutters Bett und zappelte mit den Beinen. Keiner schien es zu merken. „Früher hätten sie es bemerkt", meinte Freddy und schaute das Baby an. „Eigentlich hab ich mir gar keine Schwester gewünscht, sondern einen Bruder", dachte er. Er würde ihr den Schlumpf überhaupt nicht schenken.

Von dem Tag an, an dem Stefanie aus dem Krankenhaus kam, wurde zu Hause alles anders. Freddy konnte es fast nicht aushalten. „Immer nur das Baby", maulte er. Diese kleine Schwester nervte bloß noch.

Und auf einmal war der Gedanke da: „Ich geh weg!" Wenn er weg wäre, würden die Eltern ja sehen, was sie an ihm hat-

ten. Pausenlos würde das Telefon klingeln. Alle Leute würden nach Freddy fragen und nicht ständig nur nach Stefanie. Weinen würden sie um ihn. Und Mama müsste schwarze Strümpfe tragen. Mitten im Sommer. „Geschieht ihr recht", dachte Freddy.

Tief in der Nacht stand er auf. Seine Reisetasche war schon gepackt. Unten lagen der Pulli mit dem Segelboot, dann das Sparschwein und eine frische Unterhose. Falls er mal zum Arzt müsste. Klar, dass man beim Arzt immer eine saubere Unterhose haben muss. Seine Zündplättchenpistole und eine Taschenlampe hatte er in einer Seitentasche verstaut. Zuoberst lag ein Marzipanbrot. Als Reiseproviant. „Fertig!", sagte Freddy und musste ein bisschen durch die Nase schniefen.

Als er die Tür öffnete, bewegte der Luftzug die rot gewürfelten Vorhänge an seinem Hochbett. Der Opa hatte es gebaut. So ein Bett hatte keiner, nur Freddy. Es sah aus, als würden die Vorhänge ihm zum Abschied zuwinken. Freddy bekam einen komischen Kloß im Hals und musste schlucken. Und dann hörte er das Weinen aus Stefanies Zimmer. Es war nicht besonders laut. Aber in der Stille der Nacht klang es so schrecklich allein. „Soll Mama sie doch trösten", sagte Freddy zu sich selbst und wollte mit seiner Reisetasche zur Haustür hinaus. „Ich warte nur noch, bis Mama bei ihr ist."

Aber die Mutter kam nicht. Wahrscheinlich hörte sie das Weinen gar nicht. Es war so leise. Freddy wusste noch ganz genau, dass er auch schon oft so leise geweint hatte. „Lautes Heulen tut viel weniger weh", dachte Freddy. Die Mutter hatte gesagt: „Wenn ein Baby weint, ist das kein Trick. Es hat immer einen Grund. Man muss ihn nur herausfinden."

Freddy hielt es nicht mehr aus. Vielleicht war ja etwas Schlimmes mit dem Baby passiert. Leise trat er an Stefanies Bett. Das kleine Gesicht war heiß. Und dann wusste er auch, warum sie geweint hatte. Sie hatte den Schnuller verloren. weil sie noch so klein war, konnte sie ihn nicht suchen und selbst wieder in den Mund stecken. Also weinte sie. Freddy musste ein wenig lachen, als er den Nucki in Stefanies Mund schob und ein bisschen festhielt.

Als er klein gewesen war, hatte er auch einen Nuckel gehabt. Es stimmte, Stefanie war ihm wirklich ziemlich ähnlich.

„Gut, dass du mich hast", sagte er und merkte erst jetzt, dass Stefanie bereits eingeschlafen war. „Ich pass auf dich auf, keine Angst."

Als er ging, legte er den Geschwister-Engel-Schlumpf neben ihr Kopfkissen, dicht neben ihre winzige Hand. Seine kleine Schwester sollte nicht allein im Dunkeln sein. Die Reisetasche schob er mit dem Fuß unter sein Bett. Er würde sie morgen auspacken. Er brauchte sie ja jetzt nicht mehr.

Ich will Action!

„Oh Mann, ist mir langweilig", stöhnt Timo und wirft das Piratenbilderbuch zur Seite, in dem er gerade noch lustlos herumgeblättert hat. Dabei ist es sein Lieblingsbilderbuch. Aber heute macht es keinen Spaß.

Heute macht einfach gar nichts Spaß!

Timo lässt sich auf sein Bett fallen und starrt zur Zimmerdecke. Keiner seiner Freunde hat Zeit zum Spielen. Und der Tag will und will nicht zu Ende gehen. Timo seufzt.

Papa ist noch auf der Arbeit, sonst könnten sie weiter an Timos Baumhaus bauen. Und Mama, … hmm, vielleicht wird Mama ja mit ihm ins Schwimmbad fahren. Das wäre immer noch besser, als hier zu versauern.

Langsam schlurft Timo die Treppe hinunter. „Mama, können wir ins Schwimmbad fahren?"

„Entschuldige, mein Schatz, aber ich muss heute meinen Bürokram machen. Ein anderes Mal, in Ordnung?", antwortet Mama zerstreut.

Bürokram? Das kann ja wohl nicht so wichtig sein. Schließlich stirbt Timo hier gerade vor Langeweile.

„Aber Mama, mir ist soooo langweilig. Können wir dann nicht wenigstens ein Spiel spielen? Biiiitte!", bettelt Timo.

„Später, ja? Ich bin gerade beschäftigt. Aber du bist doch ein großer Junge und kannst dich mal eine Weile alleine beschäftigen."

Oh Mann, das ist mal wieder typisch. Immer wenn Mama keine Zeit hat, ist er schon ein großer Junge.

Mit hängenden Schultern schleicht Timo wieder die Treppe nach oben und steht unschlüssig in seinem Zimmer. Was soll er jetzt bloß tun?

Nacheinander zieht er die Spielsachen aus seiner großen Spielzeugkiste heraus, betrachtet sie einen Augenblick und wirft sie dann achtlos hinter sich. Seine Batman-Actionfigur prallt hart auf dem Boden auf, und ein roter Ferrari fliegt mit Schwung hinterher.

„Aua, sag mal, hast du sie noch alle?", meckert da eine Stimme hinter Timo.

Erschrocken dreht sich Timo um.

„Bist du blind? Hier bin ich", sagt die Stimme. Verwirrt dreht sich Timo im Kreis, als ihn plötzlich etwas hart in den Fuß pikt.

„Hey, was soll das denn? Aber das ...", Timo starrt mit offenem Mund nach unten, „... das gibt es doch gar nicht!"

Direkt vor seinem rechten Fuß steht Batman und hält einen Fledermaus-Wurfstern in der Hand.

Timo reibt sich verwundert die Augen. „Das ... das kann nicht sein. Du bist doch nicht echt!"

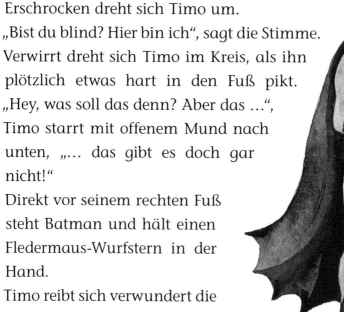

„Natürlich bin ich echt", sagt Batman aufgebracht. „Was fällt dir eigentlich ein, du Pimpf? Weißt du nicht, wer ich bin?! Mach das bloß nicht noch mal, sonst kannst du was erleben!"

„Tsch… Tschuldigung."

„Was zum Teufel soll das eigentlich? Niemand schubst Batman herum, verstanden?!", schimpft Batman.

„Es tut mir leid. Es ist nur, weil ich mich so langweile. Niemand hat Zeit für mich, und ich weiß nicht, was ich tun soll."

„Das ist alles? Dir ist langweilig? D i r ? Bei den vielen Spielsachen? Was soll ich denn dann sagen? Seit Wochen hast du nicht mehr mit mir gespielt, und ich liege bloß blöd in der Kiste rum. Und das auch noch ausgerechnet neben Superman, diesem arroganten Angeber."

Timo setzt sich auf den Fußboden und nimmt Batman in die Hand.

„Hey, was soll das?"

Ohne auf Batman zu achten, betrachtet Timo ihn genauer. Er dreht und wendet ihn neugierig hin und her und pikst ihn vorsichtig mit dem Finger in den Bauch.

„Pass auf, ich bin kitzelig", japst Batman vor Lachen. Doch dann wird er sofort wieder ernst und funkelt Timo finster an.

„Stell mich sofort wieder hin oder du kannst was erleben!"

„Ist ja gut", murmelt Timo. „Hey Batman, wie wäre es, wenn wir jetzt zusammen spielen? Das wäre doch voll cool."

„Und was?", fragt Batman gelangweilt.

„Wir könnten Monopoly spielen oder vielleicht ein Buch anschauen." Hoffnungsvoll schaut Timo Batman an.

„Nee, keine Lust. Ich will lieber mal wieder ordentlich auf den Putz hauen. So eine schöne gepflegte Schlägerei wäre jetzt genau das Richtige. Jawohl!"

Suchend blickt sich Batman um. „Wo ist mein Batmobil?"

„Oh, das habe ich bei Oma vergessen", erklärt Timo.

„Vergessen?! Du hast sie wohl nicht alle. Egal, der Ferrari wird es auch tun", sagt Batman.

„Aber …" Zu spät! Batman hat sich bereits in den Sitz geschwungen, der Motor röhrt einmal auf und der Ferrari flitzt durch Timos Zimmer. Quer über den blauen Teppich und im rasanten Slalom düst Batman raus auf den Flur. *Krach! Knirsch!* Er knallt mit Vollgas gegen das Tischchen an der Ecke, und Timo kann gerade noch mit einem Hechtsprung Mamas Lieblingsvase auffangen.

„Stopp", ruft er, als Batman mit quietschenden Reifen wendet und zwischen Timos Beinen hindurch auf die Treppe zurast. Im letzten Moment gelingt es Timo, sich das Auto zu schnappen. Schnell läuft er in sein Zimmer und schließt die Tür fest hinter sich.

Batman beugt
sich aus dem Auto-
fenster. „Was ist denn
jetzt schon wieder los?"
Timo schaut ihn genervt an. „Das musst du noch fragen?
Du kannst doch nicht einfach so durch die Gegend rasen.
Du machst noch alles kaputt, und dann bekomme ich wegen

dir Ärger. Und überhaupt,
wie doof ist es denn, dass du sprechen kannst
und dann nicht mal mit mir spielst? Hm?"
„Okay, okay. Dann spielen wir halt. Aber nicht so ei-
nen angweiligen Kram, klar?! Ich will Action!"
„Einverstanden!"
Und dann bauen die beiden in Timos Zimmer die tollste
und gefährlichste Rennstrecke der Welt. Mit atemberauben-
den Loopings, steilen Rampen und scharfen Kurven.
Timo holt seinen ferngesteuerten silbernen Porsche aus
der Spielzeugkiste und Batman lässt den Motor des
Ferraris ungeduldig aufheulen. Und schon geht das
Rennen los. Immer wieder flitzen die beiden
Autos über die Strecke.

„Ha, du kriegst mich nicht. Niemand ist schneller als Batman", grölt Batman siegessicher.

Schließlich endet die Fahrt. Für Batman mit einem todesmutigen Sprung auf Timos Bett und für den Porsche mit einem Motorschaden.

„Gewonnen! Netter Versuch, Kleiner."

Erschöpft lässt sich Timo auf den Boden fallen. Aber Batman gönnt ihm keine Pause. Eine nach der anderen muss Timo seine sämtlichen Actionfiguren aus der großen Kiste holen, damit Batman gegen sie kämpfen kann.

„Haha, niemand kann Batman schlagen!"

Anschließend spielen sie noch Auto-Quartett …

„Ein Lamborghini? Pah! Versuch es mal mit dem Batmobil, das kann sogar Wände hochfahren."

… und Mensch-ärgere-dich-nicht.

„Der Würfel ist gezinkt. Du betrügst! Niemand betrügt Batman, verstanden?!"

Timo kugelt sich vor Lachen über das beleidigte Gesicht, das Batman macht, wenn eine seiner Spielfiguren rausgeschmissen wird. Batman verliert schließlich nicht! Nie! Doch dann tut er es doch und hat auf einmal keine Lust mehr auf das Spiel.

Später liegen die beiden auf Timos Bett und schauen sich seine Bilderbücher an. Batman erfindet zu jedem Buch eine eigene Geschichte, die immer damit endet, dass er selbst auftaucht und den Tag rettet.

„Timo, ich bin fertig. Wir können jetzt etwas spielen", ruft auf einmal Mama von unten.

Timo schaut Batman an, der ihm zuzwinkert. Mit einem schelmischen Grinsen auf dem Gesicht antwortet Timo: „Später, ja? Ich bin gerade beschäftigt. Ich bin doch ein großer Junge und kann mich eine Weile alleine beschäftigen."

Wir bleiben
trotzdem Freunde

Die Sommerferien sind fast vorbei. Wieder einmal ist Svenja bei ihrer Freundin Melanie. Sie haben den ganzen Nachmittag zusammen gespielt.

„Morgen ist mein erster Schultag", sagt Melanie und zeigt Svenja stolz ihre Schultüte.

Svenja nickt. Sie hat ja mitgeholfen, als die Kinder im Kindergarten die Schultüten gebastelt haben. Die großen Kinder.

Svenja hat trotzdem mitgemacht, obwohl sie erst nächstes Jahr in die Schule kommt. Aber Melanie ist ihre allerbeste Freundin.

„Ich freue mich schon riesig auf die Schule", sagt Melanie. „Ich kann es gar nicht erwarten. Bestimmt kann ich heute Nacht vor lauter Aufregung nicht schlafen."

Svenja wird ein bisschen traurig. Sie würde morgen auch gerne in die Schule gehen. Doch sie ist erst fünf.

„Und wenn ich einfach mitkomme?", schlägt sie Melanie vor.

Melanie schüttelt den Kopf. „Geht nicht", meint sie. „Deine Eltern haben dich ja nicht in der Schule angemeldet."

Das versteht Svenja. Trotzdem ist sie ein bisschen neidisch auf Melanie. Weil sie lesen und schreiben und rechnen lernen wird.

Svenja kennt auch schon ein paar Buchstaben. Ihren Namen kann sie schon lange schreiben.

„Ich erzähle dir ganz genau, wie es in der Schule ist", verspricht Melanie, als Svenja nach Hause geht.

Am nächsten Morgen im Kindergarten muss Svenja dauernd an Melanie denken.
Sie kann sich gar nicht darüber freuen, dass sie jetzt auch zu den großen Kindern gehört.
„Nächste Woche gehen wir in die Bäckerei und gucken zu, wie Brot gebacken wird", sagt Gabi, die Erzieherin.
Svenja weiß, dass sie sich auch noch den Zahnarzt, das Forstamt und die Schule anschauen werden. Genau das hat Melanie nämlich letztes Jahr auch gedurft.

„Was ist denn los mit dir, Svenja?", fragt Gabi. Sie merkt, dass Svenja traurig ist und zu nichts richtig Lust hat.

Zuerst druckst Svenja herum, aber dann erzählt sie Gabi, wie sehr sie Melanie vermisst. Und dass sie am liebsten auch in die Schule gehen würde, gleich heute.

Gabi versucht Svenja zu trösten. „Nächstes Jahr kommst du ja in die Schule. Ein Jahr ist nicht lang."

Ist es aber doch, findet Svenja. Sogar sehr lang.

Am Nachmittag läuft Svenja gleich zu Melanie.

„Eigentlich habe ich keine Zeit", sagt Melanie und macht ein wichtiges Gesicht. „Ich muss nämlich meine Hausaufgabe machen." Sie soll ein Bild malen.

Svenja will wissen, wie es in der Schule gewesen ist.

„Unsere Lehrerin ist riesig nett", erzählt Melanie. „Sie hat einen Kasperl mit ganz langen Beinen und der wird uns viele Sachen erklären."

Im Klassenzimmer sitzt Melanie neben einem Jungen. Er heißt Meik und kann schon lesen.

Melanie zeigt Svenja die knallig orange Mütze, die heute alle Erstklässler bekommen haben.

Svenja probiert die Mütze auf. Sie passt gut. Svenja schaut sich so lange im Spiegel an, bis Melanie ihr die Mütze wieder vom Kopf reißt. „He, das ist meine!"

„Ich will sie ja auch gar nicht behalten", mault Svenja. Sie setzt sich neben Melanie an den Schreibtisch und guckt ihr zu, wie sie die Hausaufgabe macht.

Melanie malt sich mit der neuen Schulmütze. Zuerst mit Bleistift und danach mit Farbstiften.

Svenja seufzt. Sie würde jetzt auch gerne eine Hausaufgabe machen.

Melanie merkt, dass Svenja traurig ist und schiebt ihr einen blauen Buntstift zu. Svenja darf ein Hosenbein ausmalen.

Als das Bild fertig ist, laufen die beiden hinaus in den Garten und spielen. Es ist genauso wie früher. Svenja vergisst, dass Melanie ein Schulkind ist und sie selber noch in den Kindergarten geht. Sie haben viel Spaß zusammen.

Erst am Abend im Bett fällt es Svenja wieder ein. Sie spürt einen leichten Stich in der Brust. Sie hätte so gerne eine orange Erstklässler-Mütze!

Eine Woche vergeht. Zweimal kann Svenja nachmittags nicht mit Melanie spielen, weil Melanie zu Meik geht, der schon lesen kann

Svenja würde auch gerne lesen können. Zu Hause guckt sie in das Buch, aus dem Mama ihr immer vorliest. Sie starrt auf den Text und versucht ihn zu verstehen.

Es klappt nicht. Svenja feuert wütend das Buch aufs Sofa.

Mama streicht ihr übers Haar. „Geduld, Svenja", sagt sie. „Nächstes Jahr lernst du lesen. Das ist früh genug."

Am Montag will Svenja Melanie überraschen. Sie wartet vor dem Schultor auf ihre Freundin. Endlich läutet die Schulglocke. Die Tür geht auf und die Kinder strömen auf den Schulhof. Svenja reckt den Hals. Dann hat sie Melanie entdeckt und winkt ihr zu. Aber warum winkt Melanie nicht zurück? Hat sie Svenja nicht gesehen?

Svenja wartet, bis Melanie am Schultor vorbeikommt.

„Hallo, Melanie!", ruft sie.

Melanie ist mit einem Mädchen zusammen, das Svenja nicht kennt. Es ist groß und dünn und hat lauter Sommersprossen.

„Meint die dich?", fragt das Mädchen Melanie.

Melanie nickt.

„Aber die ist doch noch ein Kindergarten-Baby", sagt die Sommersprossige.

Svenja hat es genau gehört. Sie wirft Melanie und ihrer Begleiterin einen bitterbösen Blick zu. Dann macht sie auf dem

Absatz kehrt und läuft nach Hause. Dort verkriecht sie sich in ihrem Zimmer.

Mama will wissen, was los ist.

„Blöde Melanie", schnieft Svenja. „Mit der spiele ich nie wieder!"

„Was ist denn passiert?", fragt Mama.

Aber das sagt Svenja nicht.

„Habt ihr euch gestritten?", bohrt Mama nach.

Svenja gibt wieder keine Antwort. Sie hat Tränen in den Augen. Mama soll die Tränen nicht sehen, deswegen dreht sich Svenja schnell um.

Wenig später ruft Melanie an. Svenja geht nicht ans Telefon.

„Willst du dich nicht wieder mit Melanie vertragen?", fragt Mama

Svenja presst die Lippen zusammen und schüttelt den Kopf.

Am Nachmittag läutet es an der Haustür. Draußen steht Melanie und macht ein zerknirschtes Gesicht.

Svenja sagt gar nichts, nicht mal „Hallo".

Stumm schauen sich die beiden Mädchen an.

Svenja hätte Melanie am liebsten wieder die Tür vor der Nase zugemacht, aber Melanie schiebt schnell ihren Fuß dazwischen.

„Es tut mir leid", sagt Melanie verlegen. „Katja ist doof. Ich hab ihr gesagt, dass du meine allerbeste Freundin bist und dass es mir völlig egal ist, ob du noch in den Kindergarten gehst oder nicht."

Svenja schweigt.

„Hast du Lust, mit zu Meik zu gehen?", fragt Melanie. „Der hat eine Wasserschildkröte. Und zwei Kaninchen. Und er freut sich, wenn du kommst. Ich soll dich unbedingt mal mitbringen, hat er gesagt."

„Hat er das wirklich gesagt?", fragt Svenja nach.

„Großes Ehrenwort", sagt Melanie und legt die Hand aufs Herz. Svenja guckt Melanie an. Melanie guckt Svenja an. Und dann müssen sie lachen. Alles ist wieder in Ordnung.

Hand in Hand laufen sie los und Svenja ist sehr, sehr froh.

Der Kummerstein

Als Mattes seine Großeltern besuchte, sahen sie gleich, dass er Kummer hatte. Kindern sieht man das nämlich an. Sie halten ihren Kopf gesenkt und lassen die Schultern hängen. Wenn man sie etwas fragt, dann sagen sie nur: „Hm, hm" und: „Mh, mh" oder zucken nur mit den Schultern. All das tat Mattes.

Die Großeltern wussten auch warum, aber sie waren zu fein-fühlig, um gleich darüber zu sprechen. Stattdessen nahm Großvater seinen Enkel zum Angeln mit. Als sie so still am Bach saßen, fing Großvater an zu erzählen:

„Als ich ein Junge war wie du jetzt, da wohnten wir in Kanada. Ich glaube, das weißt du ja. Zu der Zeit gab es in Kanada eine Braunbärenfamilie, Vater, Mutter und zwei Kinder. Ich kannte sie nicht persönlich, aber ich habe ihre Geschichte oft gehört. Diese Bärenfamilie wanderte eines Sommers immer weiter in den Norden, denn das Futter wurde knapp. Mutterbär wäre ei-gentlich lieber im Süden geblieben, aber Vaterbär zog es hoch in den Norden, wo das Leben wild und das Land noch un-berührt war. Er träumte davon, ein Polarbär zu werden und sich als Robbenjäger zu betätigen. Mutter ging mit, so weit sie konnte. Aber mit den zwei Kindern war das nicht leicht.

Weißt du eigentlich, dass Braunbären und Eisbären eng mit-einander verwandt sind? In Kanada sagt man übrigens nicht Eisbär, sondern Polarbär. Das Fell vom Vaterbär wurde schon ganz hell und dicht, und die Kälte machte ihm immer weniger etwas aus. Als sie an die Schneegrenze kamen, sagte die Mutter Braunbär aber: ‚Bis hierher und nicht weiter.'

Vaterbär war mit seinen Gedanken schon im Polargebiet. Er wurde immer mehr zum Polarbären und wartete ungeduldig darauf, dass die Eisdecke zufrieren würde, damit er nach Grönland zum Robbenfischen gelangen könnte. Als das Eis auf sich warten ließ, wurde er grantig, fing Zankereien mit anderen Bären an und schlug seine Bärenkinder. Mutterbär musste sich immer öfter dazwischenwerfen und den Polarbären wegbeißen.

Endlich fror die Eisdecke zu und alle Polarbären machten sich auf den Weg zur Robbenjagd.

Mutter Braunbär blieb allein mit den Kindern und wanderte langsam wieder in wärmere Gefilde.

Obwohl die kanadischen Wälder schön und voller guter Blaubeeren waren und obwohl seine Mutter gut für ihn sorgte und seine Schwester gern mit ihm spielte, wurde der kleine Braunbär immer trübsinniger. Er hörte auf, ordentlich zu essen. Oft saß er auf seinen

kleinen Hinterbeinen und schwenkte seinen Kopf traurig hin und her, hin und her.

Schließlich wurde das der Mutter zu viel. So einen Trauernickel die ganze Zeit um sich zu haben, ist ja auch nicht leicht, besonders, wenn man nichts an den Umständen ändern kann. Darum führte die Bärenmutter den kleinen Braunbär zu einem ausgehöhlten Stein und sagte: ‚Jetzt kannst du dich da mal hinsetzen und traurig sein. Nach einer Weile nimmst du diesen Stein hier und drückst ihn ganz fest mit der Pfote. Wenn du gar nicht mehr stärker drücken kannst, dann lässt du ihn plötzlich los. Und du wirst fühlen, dass dann dein Kummer verschwindet. Nicht für immer, aber für eine Weile. Nur darfst du nur einmal am Tag zu diesem Stein kommen und Kummer haben.‘

Der kleine Braunbär tat, wie ihm geheißen. Und tatsächlich: Nachdem er eine Weile getrauert und dann den Stein gedrückt und losgelassen hatte, war das schlimmste Kummergefühl verschwunden. Darüber war der kleine Bär sehr froh.

Am nächsten Tag bekam er wieder so ein Kummergefühl. Aber er setzte sich nicht hin, um seinen Kopf zu schwenken, sondern er wartete bis zum Abend. Dann ging er zu seinem Kummerplatz, setzte sich darauf und drückte seinen kleinen Kummerstein, so fest er konnte. Nach einer Weile ließ er ihn los. Und siehe da, der Kummer verschwand. So machte er es jeden Abend, bis der Kummer schließlich ganz verschwunden war.“

Hier war die Geschichte zu Ende, und als Großvater eine Weile schwieg, fragte Mattes:

„Gibt es solche Steine auch für Menschen?"

„Oh, absolut!", sagte Großvater. Er zog gerade eine dicke Forelle aus dem Wasser. „In Kanada waren sie zu meiner Zeit sehr verbreitet. Warte mal. Ich glaube sogar, dass sich noch einen habe."

Großmutter freute sich über die große Forelle. Während sie das Abendessen vorbereitete, ging Großvater mit Mattes auf den Dachboden. In einer alten Kiste fanden sie alles Mögliche und auch einen flachen Kieselstein, auf den ein kleiner Bär gemalt war.

„Hier ist er ja", sagte Großvater. Und Mattes fragte, ob er ihn sich wohl mal ausleihen dürfte. Das durfte er.

„Falls ich ihn später mal brauchen sollte, dann sage ich Bescheid."

Großvater fand auch noch einen kleinen alten Korbstuhl. Den nahm er mit hinunter und stellte ihn unter die Trauerweide im Garten.

Nach dem Abendessen schauten die Großeltern zum Fenster hinaus. Da sahen sie Mattes auf dem kleinen Korbstuhl sitzen. In seiner Hand hielt er den Kummerstein. Großvater war sicher, dass er ihm ebenso helfen würde wie dem kleinen Braunbären, dessen Vater in der Arktis verschwunden war.

Piet will auch mitspielen

Heute fährt Piet mit Mama, Papa und Enno zu Oma und Opa. Piet ist schon ganz aufgeregt. Sein Cousin Niko kommt nämlich auch mit seinen Eltern zu Besuch. Und weil die Erwachsenen in eine Kunstausstellung wollen, dürfen die Kinder ausnahmsweise ganz alleine im Haus von Oma und Opa bleiben.

Oh, das wird super! Piet kann auf der Autofahrt kaum stillsitzen, denn mit den großen Jungs ist das Spielen immer richtig spannend. Die haben so tolle Ideen, und dabei fühlt sich Piet auch gleich ganz groß.

„Du bist zu klein, um mit uns zu spielen, du Baby!", sagt Niko dann aber zu Piet, als die Haustür hinter den Erwachsenen ins Schloss gefallen ist.

Was? Wieso das denn? Piet starrt ihn an und weiß gar nicht, was er sagen soll. Er ist doch schon fünf und kommt auch bald in die Schule.

„Genau! Wir spielen jetzt was für große Jungs", unterstützt Enno seinen Cousin und zieht ihn aus dem Raum.

Piet will noch irgendwas sagen und die beiden überzeugen, ihn mitspielen zu lassen. Aber da knallt die Tür auch schon zu und Piet steht ganz alleine mitten im Wohnzimmer. Er spürt einen riesigen Tränenkloß in seinem Hals.

Wieso wollen sie ihn denn nicht dabeihaben? Und warum hat Enno Piet nicht geholfen? Sonst spielt sein Bruder doch auch

mit ihm und findet ihn nicht zu klein. Wieso dann ausgerechnet heute? Das ist doch gemein!

Piet setzt sich in Opas Lieblingssessel und spürt, wie ihm die
Tränen in die Augen steigen. Aber er will jetzt nicht anfangen
zu heulen. Er muss sich ablenken und macht den Rucksack
auf, in den Mama ein paar Spielsachen gepackt hat. Piet zieht
nacheinander ein Bilderbuch, eine Dose mit Legosteinen und
ein paar Autos hervor. Er hat keine Lust, ganz alleine damit
zu spielen. Aber was bleibt ihm schon anderes übrig?

Lustlos öffnet Piet die Plastikdose mit den Legosteinen und
holt einen roten heraus. Ob er was bauen soll? Aber Lego ist
doch eigentlich auch nur für Babys! Jetzt hält es Piet nicht
mehr aus. Tränen laufen ihm über die Wangen und er kippt
die ganze Dose so schwungvoll aus, dass die Steine wild durch
das Zimmer fliegen.

Menno! Piet hatte sich doch so auf den Tag mit Enno und
Niko gefreut. Er könnte ganz bestimmt auch alles mitmachen,
ganz egal was die Tolles für große Jungs spielen. Und jetzt lassen sie ihn einfach so im Wohnzimmer zurück!

Da fragt sich Piet zum ersten Mal, was die beiden gerade überhaupt machen … so ganz ohne ihn. Das will er jetzt herausfinden, genau! Piet wischt sich mit dem Ärmel die Tränen aus
dem Gesicht. Vielleicht ist er klein, aber er kann sich wenigstens anschleichen, ohne dass die anderen das merken!

Piet fällt auch gleich ein, wo die beiden stecken könnten: Bestimmt sind sie in Opa Herberts Backstube gegangen. Opa
ist zwar schon Rentner, und die Bäckerei gibt es schon lange

nicht mehr, aber dort stehen immer noch viele der großen Bäckermaschinen, der Knetautomat und die Waagen zum Beispiel. Piet findet die Backstube genauso spannend wie Enno und Niko, allerdings auch ein bisschen unheimlich. Und darin zu spielen ist streng verboten! Deshalb ist es aber natürlich auch besonders aufregend.

Tatsächlich: Der Schlüsselbund mit der roten Schleife hängt nicht dort, wo er hingehört. Und als Piet in den Hof geht, sieht er sofort, dass er von außen in der Tür steckt. Die ist mit einem Keil festgeklemmt, damit sie nicht zugeht. Piet hatte also recht!

Piet hört, wie sein Herz laut schlägt. Hoffentlich hören Niko und Enno das nicht auch. Schritt für Schritt pirscht sich Piet heran. Doch als er durch die Tür in die Backstube schleicht, stolpert er. Es gibt einen furchtbar lauten Knall und es wird dunkel. Piet zuckt heftig zusammen.

Oh nein, die Tür ist zugefallen! Piet hat aus Versehen den Holzkeil unter der Tür weggetreten. Wie konnte das nur passieren? Er hatte sich doch so angestrengt, leise zu sein. Jetzt schämt sich Piet ganz furchtbar.

Natürlich haben auch die beiden Jungs den Krach gehört und stehen plötzlich vor ihm.

„Jetzt hast du uns hier eingesperrt! Kannst du nicht aufpassen?", ruft Niko.

In Piets Augen steigen Tränen auf. Oh nein, die Backstube hat ja keine Türklinke, sondern einen runden Knauf. Sie geht nur mit dem Schlüssel auf. Und der steckt von außen im Schloss.

Piet kann die Tränen nicht aufhalten. „Aber, aber … das wollte ich doch nicht!", schluchzt er.

„Wenn Opa Herbert merkt, dass wir hier drin waren, gibt es mächtig Ärger!", ruft Enno wütend und wirft Piet einen giftigen Blick zu.

Piet fühlt sich ganz klein. Enno und Niko haben recht, er ist echt noch ein Baby. Sonst wäre ihm das bestimmt nicht passiert.

„Los, lass uns die Tür aufbrechen!", schlägt der große Niko vor, doch Enno zeigt ihm einen Vogel. „Erstens: Womit willst

du das denn machen. Und außerdem merken die doch dann direkt, dass wir heimlich hier drin waren!"

Wenn Piet doch nur einen Weg finden würde, wie sie hier wieder rauskommen! Dann wären Enno und Niko vielleicht nicht ganz so böse auf ihn. Piet rappelt an der Tür zum Keller, aber auch die ist natürlich verschlossen. Ihm will einfach nichts einfallen. Alle Türen sind abgeschlossen. Die Fenster sind ohne Griff. Die Backstube ist ein richtiges Gefängnis!

Piet ist verzweifelt. Nicht schon wieder weinen! Er kämpft gegen die Tränen und schaut an die Decke. Da sieht er es: ein Fenster! Es ist oben über der Backstubentür und es hat einen Griff!

„Kannst du mich mal hochheben, Enno? Ich habe eine Idee", sagt Piet leise.

„Was?", Enno schaut seinen kleinen Bruder böse an.

„Da oben ist ein Fenster", flüstert Piet. „Da kann ich bestimmt durchkriechen."

Enno schaut kritisch zwischen seinem Bruder und dem winzigen Fenster hin und her.

„Das klappt doch nie", ätzt Niko.

Doch Enno ist plötzlich auf Piets Seite. „Einen Versuch ist es wert!", entscheidet Enno und macht für Piet eine Räuberleiter. Piet kann es kaum glauben und fühlt sich gleich ein ganzes Stück erleichtert. Er klettert auf Ennos Hände, doch – oje, Piets Fingerspitzen reichen nur bis zur Fensterunterkante, so sehr er sich auch streckt.

„Du bist zu klein, Enno. Lass mich mal!", fordert Niko.

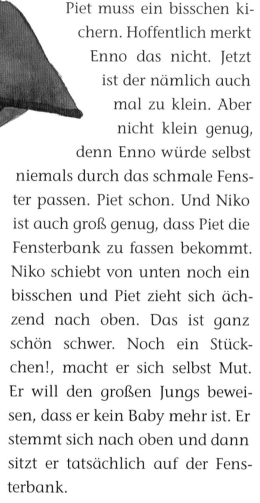

Piet muss ein bisschen kichern. Hoffentlich merkt Enno das nicht. Jetzt ist der nämlich auch mal zu klein. Aber nicht klein genug, denn Enno würde selbst niemals durch das schmale Fenster passen. Piet schon. Und Niko ist auch groß genug, dass Piet die Fensterbank zu fassen bekommt. Niko schiebt von unten noch ein bisschen und Piet zieht sich ächzend nach oben. Das ist ganz schön schwer. Noch ein Stückchen!, macht er sich selbst Mut. Er will den großen Jungs beweisen, dass er kein Baby mehr ist. Er stemmt sich nach oben und dann sitzt er tatsächlich auf der Fensterbank.

Eine frische Brise weht in die Backstube, als er das Fenster weit öffnet. Huch, ist das hoch! Nur nicht nach unten gucken. Piet schwingt seine Beine aus dem Fenster, springt auf die Mülltonnen und von dort aus auf den Boden. Er hat es wirklich geschafft!

Als Piet vor der verschlossenen Backstubentür steht, überlegt er einen Moment: Soll er Enno und Niko in der Backstube eingesperrt lassen und warten, bis Opa sie findet?

Aber so gemein will Piet gar nicht sein! Er dreht den Schlüssel im Schloss, und Enno und Niko kommen erleichtert aus der Backstube.

„Gar nicht so schlecht, Kleiner!", sagt Enno und schlägt Piet anerkennend auf die Schulter, sodass der ins Stolpern gerät.

„Vielleicht bist du doch kein Baby mehr!", sagt Niko, und Enno zwinkert Piet zu.

Ein Lächeln überzieht Piets Gesicht. Und fast sieht es so aus, als sei er gerade ein ganzes Stückchen gewachsen.

Der Laserfighter 6000

Boah! Der helle Wahnsinn!

Felix sah mit großen Augen auf den Fernsehbildschirm. Inzwischen lief schon wieder seine Zeichentrickserie, aber er passte gar nicht mehr auf. Sein Herz raste. Er hatte noch nie so etwas Tolles gesehen.

Der Laserfighter 6000 – wow!

„Maamaaaaaa!"

Ein Lasergewehr mit einem richtigen, echten Laserstrahl.

Felix lief ins Esszimmer, in die Küche … „Maamaaaa?" … ins Schlafzimmer seiner Eltern.

Und man hörte sogar die Explosionen! Krawuuuummmmm!

Immer schneller lief er. Ja, er schaute sogar ins Zimmer seiner Schwester Nele, aber seine Mama war nirgends zu finden.

„MAAAAAMAAAAAAAAAAAAAAAA!!"

Felix fing schon an, die Schultern hängenzulassen. Wie sollte er denn so den Laserfighter 6000 bekommen? Wo war seine Mama bloß?

Doch da! Er hatte sie auf einem Liegestuhl im Garten erspäht. Juhuu! Felix wetzte los.

„Mama, Mama, Mama, Mama …", brüllte er noch im Rennen, so aufgeregt war er. Bald würde er das tollste Spielzeug der ganzen Welt haben!

Als Felix schwer atmend bei Mamas Liegestuhl ankam, runzelte die allerdings nur die Stirn und blinzelte verschlafen.

„Mama, Mama … ich brauche …" Felix Stimme überschlug sich. Er wusste gar nicht, wo er anfangen sollte. In ihm kribbelte alles. Pam! Pam! Krawwummmm! Die Laserfighter-Werbung war so gigantisch gewesen. Felix schluckte. „Eben in der Werbung …"

„Jetzt nicht, mein Schatz. Heute Nacht war viel los in der Klinik. Ich muss noch ein bisschen schlafen", murmelte seine Mama und schloss wieder die Augen.

Felix hopste ungeduldig auf die andere Seite des Liegestuhls. Wenn Mama erst wüsste, worum es ging, dann würde sie doch gleich verstehen, wie dringend es war. Felix drängelte sich an den Liegestuhl und lehnte sich auf Mamas Arm. „Mama, der Laserfighter 6000 …"

Mama zog den Arm weg. „Felix, wirklich, jetzt nicht! Geh und spiel mit Nele", sagte sie und drehte sich von Felix weg.

Was sollte Felix nur tun? Er musste den Laserfighter einfach haben. Wenn Mama ihm doch nur zuhören würde. „Mama, biiiiiitte, der Laserfighter ..."
„FEEELIX!!"

Das war ja so gemein! Nicht nur, dass Mama ihm im Garten gar nicht zuhören wollte. Später hatte sie ganz einfach Nein gesagt. Zum Laserfighter 6000!
„Du hast doch schon genug Spielsachen." – Mmpf! Warum hatten Eltern eigentlich manchmal keinen blassen Schimmer, was wirklich wichtig war?
„Wir haben gerade erst den Superspritzer für dich gekauft." – Als ob so eine blöde Wasserpistole mit dem Laserfighter vergleichbar wäre!
Missmutig verschränkte Felix die Arme und ließ sich auf sein Bett sinken. Er spürte, wie in seinem Bauch ein kleiner harter Stein wuchs und wie er immer trotziger wurde.
„Dieses Laserdings ist ja nur eine Taschenlampe, die Geräusche macht." – Pah! Wieso durften Eltern eigentlich immer alles bestimmen? Man müsste mal ein Land erfinden, in dem die Kinder bestimmen durften. Dann würde er es seiner Mama zeigen. Dann würde sie nämlich auch keine neuen Sommerkleider oder Krimi-Bücher mehr bekommen. Genau!
Und je länger Felix auf seinem Bett saß, desto trotziger wurde er und desto größer und fester wurde der Stein in seinem Bauch.

„Willst du noch Nudeln, Felix?" Seine Mama sah ihn erwartungsvoll an.

Felix schüttelte stumm den Kopf und spießte eine Makkaroni nach der anderen lustlos auf seine Gabel. Dabei gab er sich viel Mühe, böse zu gucken. Das fiel ihm auch ziemlich leicht, denn der Stein in seinem Bauch war immer noch genauso groß wie gestern Abend. Am liebsten hätte er auch noch trotzig die Arme verschränkt, nur wäre das mit dem Essen dann ein bisschen schwierig geworden.

„Wie war es eigentlich gestern im Schwimmbad?", fragte seine Mama fröhlich.

Merkte sie gar nicht, wie böse er guckte? Felix funkelte sie extra trotzig an. Dann zuckte er mit den Schultern.

„Felix ist 'ne Laus über die Leber gelaufen", grinste Nele.

Felix versuchte, nach dem Schienbein seiner Schwester zu treten, konnte es aber unter dem Tisch nicht erreichen.

„Hey, hey, hey!" Warum lächelte Mama denn jetzt so komisch? Fand sie es etwa lustig, dass Felix sauer war? Da wuchs der Stein in seinem Bauch noch weiter und nun konnte Felix nicht mehr anders. Er ließ seine Gabel klirrend auf den Teller fallen und verschränkte die Arme vor der Brust.

„Na hoppla!", sagte Mama noch fröhlicher als vorher. „Sagt mal, was haltet ihr Süßen davon, wenn wir zum Nachtisch zur Eisdiele fahren und jeder einen großen Schokoladenbecher bekommt?"

„Au ja!", brüllte Nele sofort.

Felix guckte schnell auf die letzten Nudeln auf seinem Teller. Das war ja noch viel gemeiner von Mama. Er wollte böse sein und da kam sie einfach mit seinem Lieblingseis. Aber nicht mit ihm! Er durfte jetzt nicht weich werden. Der Stein war schließlich auch noch in seinem Bauch und genauso hart wie vorher. Felix schluckte und dann schüttelte er den Kopf.

Seine Mama seufzte.

Ha! Jetzt tat sie nicht mehr so fröhlich. Felix war ein bisschen stolz, dass er nicht nachgegeben hatte.

„Ich gehe rüber zu Paul zum Spielen", stellte er trotzig fest. Aber er wartete doch noch kurz auf das Nicken seiner Mama, denn eigentlich hätte er ja um Erlaubnis fragen müssen.

Paul würde ihn ganz bestimmt verstehen. Und es fühlte sich immer gleich ein bisschen besser an, wenn ihm sein bester Freund recht gab, dass irgendetwas blöd war. Deshalb erzählte Felix, sobald er bei Paul angekommen war, natürlich als

Allererstes von dem Laserfighter und dass ihm seine Mama keinen kaufen wollte.

„Und sie hat gesagt, dass ich doch einfach mit dem Superspritzer spielen soll. Eltern haben echt keine Ahnung, oder?"

„Der Laserfighter 6000 ist doch sowieso Babykram", antwortete Paul.

„Waaaas?" Felix blieb die Spucke weg. Hatten sich denn alle gegen ihn verschworen? Der Stein in seinem Bauch wuchs noch mehr.

„Die Werbung ist zwar cool …", erklärte Paul, „… aber wir haben bei Max damit gespielt und das Ding ist ganz schön lahm! Eigentlich nur eine Taschenlampe, die ständig das gleiche Geräusch macht."

Felix musste schlucken. Ob Paul wohl recht hatte? Paul hatte meistens recht. Hm … Felix spürte, wie der Stein in seinem Bauch langsam zu einem Kiesel zusammenschmolz. Er schämte sich sogar ein bisschen, dass er so trotzig zu seiner Mama gewesen war.

Dann fiel ihm aber etwas ein und er sprang fröhlich auf. „Was meinst du, Paul …" Felix war sofort richtig aufgeregt und in seinem Bauch kribbelte es, „… ich hole meinen Superspritzer, du den Wasserwerfer Ultra, und wir treffen uns unten im Garten?"

„Au ja!"

Johnnie will bei Mama schlafen

Johnnie ist schlau und sommersprossig wie ein Seeräuber und stark. Sehr stark. So stark, dass er glatt Mama umschmeißen kann.

Jedenfalls, wenn sie gerade auf einem Bein vor dem Pflanzen-regal steht und sich hochreckt und nicht sieht, dass Johnnie mit hundertfünfzig Sachen wie eine Dampfwalze von hinten angerannt kommt.

Bums!, macht Mama dann. Und ein dummes Gesicht macht sie auch. Da kann man doch nur kichern!

Ja, so stark ist Johnnie!

Aber wenn Mama sich dann wieder hochrappelt, sollte man schleunigst aufhören mit dem Kichern. Denn es könnte sein, dass Mama es gar nicht so lustig findet, umgeschmissen zu werden. Und es könnte sein, dass sie sich deshalb Johnnie schnappen und mal ein ernsthaftes Wort mit ihm reden möchte!

Aber schafft sie das?

Nee.

Denn Johnnie ist schneller!

Ja, Johnnie ist auch schnell und gerissen und mutig. Sehr mu-tig. So mutig, dass er ohne Festhalten vom oberen Bett seines Etagenbettes springt. Dreimal hintereinander. So doll, dass der ganze Boden wackelt. Ja, so mutig ist Johnnie!

Johnnie mag sein Etagenbett. Unten ist es gemütlich wie in einer Höhle. Man kann sich alle Bettdecken der ganzen Wohnung holen und die Sofakissen aus dem Wohnzimmer und auch noch die großen Badehandtücher aus dem Bad und sich ganz dick einkuscheln. Und dann unter den ganzen Decken mit einer Taschenlampe Piratenbücher angucken.

Die mag Johnnie am allerliebsten. Denn wenn er nicht Mamas Sohn geworden wäre, dann wäre er ganz bestimmt Pirat geworden. Ein großer, berühmter Pirat! Aber so ist es auch gut.

Das obere Bett ist wie ein großes Schiff. Da kann man Schiffskapitän spielen. Oder Seeräuber. Und so tun, als ob man weit, weit auf dem Meer segelt und schrecklich gefährliche Abenteuer erlebt.

Man könnte natürlich in dem Etagenbett auch ganz einfach schlafen. Unten oder oben. Ganz wie man wollte.

Aber Johnnie will nicht. Nein, Johnnie will überhaupt nicht in seinem Bett schlafen. Weder oben noch unten. Johnnie will bei Mama schlafen.

Dagmar H. Mueller

Mamas Bett ist groß und weiß und weich. Man liegt dort warm und kuschelig. Und wenn man nachts mal aufstehen und Pipi machen muss, dann muss man nicht allein wieder einschlafen, denn Mama liegt ja neben einem. Auch wenn sie nur „Hrrpppff" macht und gar nicht gemerkt hat, dass einer mal eben aufgestanden ist.

Ja, eigene Etagenbetten sind eine tolle Sache. Tagsüber. Aber nachts ist es doch gut, neben Mama zu schlafen.

Mama allerdings findet, dass Johnnie allmählich ja immer größer wird.

Klar, das findet Johnnie auch. Ist doch klasse! Und wär doch komisch, wenn er immer kleiner werden würde! Was das aber mit dem Schlafen bei Mama zu tun haben soll, das versteht Johnnie ganz und gar nicht.

„Guck doch mal, Johnnie", sagt Mama, „bald ist das Bett zu klein für uns beide."

„Quatsch", sagt Johnnie und rutscht in Mamas Bett flink wie eine Seerobbe hin und her, um zu zeigen, wie riesig so ein Mamabett ist. „Hier ist soo viel Platz, da könnte dicke noch einer drin liegen."

„Aber irgendwann musst du doch auch mal in deinem eigenen Bet schlafen, kleiner Johnnie", sagt Mama und streicht Johnnie übers Haar.

Ja klar, das macht Johnnie ja auch. Irgendwann.

„Wie wär's, wenn wir es so machen", schlägt Mama vor. „Einen Tag in der Woche kannst du bei mir schlafen, aber die anderen Tage schläfst du jetzt in deinem Bett. Wie findest du das?"

Na, wie wohl?

Doof findet Johnnie das. Ganz doof.

„Aber Seeräuber bleiben auch nachts auf ihren Schiffen und gehen nicht bei ihren Mamas vor Anker", sagt Mama.

Da allerdings ist was dran. Das muss Johnnie zugeben.

„Und so ein mutiger Seeräuber wie du, der segelt auch nachts über das weite Meer!", sagt Mama.

Und mutig ist Johnnie ja wirklich.

„Vielleicht segelst du erst mal eine Nacht auf deinem Schiff, und dann können wir sehen, wie es war", sagt Mama.

„Nee", sagt Johnnie, der mutige Pirat, „nee."

„Na schön", sagt Mama und schlägt die Bettdecke zurück, „dann werde eben ICH mal ein bisschen auf deinem Schiff segeln. Möchte doch zu gern wissen, wie sich das anfühlt, so hoch oben über den Fluten."

Und Mama packt ihre Bettdecke unter den Arm, stapft rüber in Johnnies Zimmer und klettert todesmutig ganz nach oben auf Johnnies Piratenschiff.

Dort breitet sie ihre Decke aus und sieht zufrieden in den Sternenhimmel über ihr.

„Du meine Güte", staunt Mama, „so viele Sterne. Und Sternschnuppen! Ich muss wohl direkt vor der Küste von Marokko sein! Wo sonst gibt es so viele Sternschnuppen? – Willst du nicht auch mal gucken kommen?", ruft Mama rüber zu Johnnie.

„Nee", ruft Johnnie zurück und bleibt unbeeindruckt in Mamas Bett liegen.

Welcher echte Pirat würde nachts schon nach Sternschnuppen gucken, wenn es auch überall mit Schätzen beladene Schiffe zu entern gäbe? Aber so ist das nun mal mit Mama. Zum Kuscheln ist sie prima, aber für ein echtes Piratenleben taugt sie nicht viel.

„Johnnie!", ruft Mama laut. „Da kommt ein riesiges Schiff direkt auf mich zu. Was soll ich jetzt tun?"

„Wie sieht es denn aus?", ruft Johnnie zurück.

Mama überlegt. Dann sieht die die dunkelblauen Vorhänge vor Johnnies Fenster.

„Es hat gefährlich dunkelblaue Segel!", schreit sie.

Johnnie in Mamas Zimmer muss grinsen. Nein, Mama ist einfach nicht sehr gut im Seeräubersachen-Ausdenken!

„Was ist denn drauf auf den Segeln?", fragt Johnnie.

Auf seinen Vorhängen sind kleine, weiße Segelboote. Das weiß Johnnie. Aber kleine, weiße Segelboote können ja wohl kaum auf großen, gefährlichen Piratensegeln sein! Na, was wird Mama jetzt sagen?

„Auf den Segeln sind … auf den Segeln sind lauter gefährlich aussehende Piratenschiffe", behauptet Mama.

„Sind sie vielleicht weiß", fragt Johnnie und grinst wieder.

„Ja, genau! Woher weißt du?", ruft Mama. „Weiße Piraten-schiffe sind auf den Segeln!"

Na, Johnnie kennt doch seine Vorhänge!

„Hilfe!", ruft Mama jetzt. „Hilf mir, Johnnie!"

Himmel, nun muss Johnnie wohl doch mal Mama zu Hilfe kommen!

Er springt mit einem Satz aus Mamas Bett und rennt rüber in sein Zimmer.

„Aaaa-tacke!", schreit Johnnie, schnappt sich seinen Piraten-säbel und greift furchtlos und ohne zu zögern die Gardinen an.

Zack – zack – und noch ein Schlag!

„Haaa!", schreit Johnnie, aber die Vorhänge flattern bloß hilf-los und wehren sich kaum. Nach nur wenigen Hieben hat er sie besiegt. Dann entert er das Schiff mit den dunkelblauen Segeln.

Mama hält die Bettdecke mit beiden Händen fest umklammert und bibbert.

Doch da steht Johnnie schon säbelschwingend auf dem Fensterbank-Schiffsdeck und ruft: „Alles klar! Die feige Mannschaft ist ins Wasser gesprungen. Du bist gerettet!"

„Oh, mein Johnnie!", haucht Mama erleichtert und hält die Bettdecke auf. Siegreiche Piraten brauchen nach harten Kämpfen einen warmen Platz zum Kuscheln.

Und – schwupp – hüpft Johnnie, der große Pirat, runter von dem Schiff mit den blauen Segeln und rauf auf sein eigenes Piratenschiff und schmiegt sich an Mama.

Johnnie seufzt. Müde ist er jetzt. Richtig müde. Na klar, auch die größten Piraten sind irgendwann müde.

„Schön ist es auf deinem Schiff", sagt Mama leise.

„Mhmm", murmelt Johnnie und ist schon halb eingeschlafen.

„Und so viele Sterne", flüstert Mama, „ja, wirklich, fast genau wie vor der Küste von …"

Aber das hört Johnnie gar nicht mehr.

Quellenverzeichnis

Arold, Marliese   „Wir bleiben trotzdem Freunde", © bei der Autorin.

Geisler, Dagmar   „Dann hol ich meinen großen Bruder", aus: dies., Geschwister sind unschlagbar, Gabriel Verlag/Thienemann, Stuttgart 2012.

Jäckel, Karin   „Die Geschichte vom Geschwister-Engel", aus: dies., Dein Engel hat dich gern, Kerle im Verlag Herder, Freiburg 2006.

Keyserlingk, Linde von   „Der Kummerstein", aus: dies., Die schönsten Geschichten für die Kinderseele, Verlag Herder, Freiburg, Basel, Wien 2001.

Lückel, Kristin   „Ich will Action!", © bei der Autorin.

Mauder, Katharina   „Der Laserfighter 6000", © bei der Autorin.

Mueller, Dagmar H.   „Johnnie will bei Mama schlafen", © bei der Autorin.

Nöstlinger, Christine   „Anna und die Wut", © S. Fischer Verlag GmbH, Frankfurt am Main, 2013, erstmals erschienen 1990 im Sauerländer Verlag.

Simon, Katia   „Piet will auch mitspielen", © bei der Autorin.